まちをつくる くらしをまもる

公務員の仕事

3. まちづくりの仕事

協力：足立区役所　編：お仕事研究会

もくじ

この本の使い方 ⋯⋯⋯⋯⋯⋯⋯⋯⋯⋯⋯⋯⋯⋯⋯⋯⋯⋯⋯⋯⋯⋯ 3

区役所の本庁舎と、各部署 ⋯⋯⋯⋯⋯⋯⋯⋯⋯⋯⋯⋯ 4

橋、道路づくりの仕事 道路整備課 ⋯⋯⋯⋯⋯⋯ 6

まちの交通にかかわる仕事 交通対策課 ⋯⋯ 10

まちづくりにかかわる仕事 まちづくり課 ⋯⋯ 18

道路、公園にかかわる仕事 道路公園整備室 ⋯⋯ 22

公共施設の建設にかかわる仕事 中部地区建設課 ⋯ 28

住民の生命・財産を守る仕事 災害対策課 ⋯ 32

まちの防災化を進める仕事 建築防災課 ⋯⋯ 36

ハザードマップ ⋯⋯⋯⋯⋯⋯⋯⋯⋯⋯⋯⋯⋯⋯⋯⋯⋯⋯⋯⋯ 40

地域のごみにかかわる仕事 清掃事務所 ⋯⋯ 42

さくいん ⋯⋯⋯⋯⋯⋯⋯⋯⋯⋯⋯⋯⋯⋯⋯⋯⋯⋯⋯⋯⋯⋯⋯⋯ 46

●この本の使い方

おもな仕事の内容を、説明します。

役所内の部署名です。
（自治体によって、同じ仕事をしていても部署名が違ったり、担当する仕事のはんいがことなっていたりします。）

その部署の仕事内容を、くわしく解説しています。

ミニ知識では、この項目で出てくる用語や仕事内容をおもに説明しています。

この部署ではたらいている人に、インタビューをしています。

はたらいている人の部署名と名前です。
（所属は、2024年3月時点の情報です。）

コラムでは、業務に関連する内容について、情報を補ってくれます。

実際にはたらいている人が「心がけていること」を聞きました。

●区役所の本庁舎と、各部署

　足立区の場合、中央館、南館、北館の３棟からなる本庁舎のほか、区内の各所に区民事務所や、福祉事務所などがあっていろいろな手続きをすることができます。ほかに、図書館や清掃事務所、保健所などのように、本庁舎の外にあって、さまざまな仕事をしている部署があります。また、区内には67校の区立小学校と、35校の区立中学校、区立保育所や認定こども園もあります。

　足立区内にある警察署や消防署は、足立区ではなく東京都に属する組織ですが、区と連けいしてさまざまな仕事をしています。

● 足立区役所 本庁舎

北館

階	部署	課
	エコガーデン	
4階	都市建設部	都市建設課
		事業調整担当課
		高台まちづくり担当課
		ユニバーサルデザイン担当課
		交通対策課 (p.10)
		駐輪場対策担当課
	道路公園整備室	道路公園管理課
		安全設備課
		職員労働組合
3階	政策経営部	区民の声相談課 区民相談室 (1巻)
	道路公園整備室	東部道路公園維持課 (p.22)
		西部道路公園維持課
		パークイノベーション推進課
		道路整備課 (p.6)
2階	区民部	国民健康保険課 (1巻)
		高齢医療・年金課 (1巻)
	あだちワークセンター (ハローワーク足立)	
	喫茶室	
1階	福祉部	福祉管理課
		障がい福祉課
		障がい援護担当課
	高齢者施策推進室	高齢福祉課
		地域包括ケア推進課
		介護保険課
	ATMコーナー	
	北館案内	
B1階	総務部	総務課 (車両計画担当)
	食堂	
B2階	駐車場	

中央館

階	部署	課
8階	区議会	議場傍聴席
		特別委員会室
	特別会議室	
7階	区議会	議場
		委員会室
6階	区議会	議長室
		副議長室
		各党控室
		区議会控室
		区議会事務局
5階	政策経営部	ICT戦略推進担当課
		情報システム課
4階	建築室	建築審査課
		建築防災課 (p.36)
		開発指導課
		建築調整担当課
		住宅課
		区営住宅更新担当課
3階	福祉部	親子支援課 豆の木相談室
	子ども家庭部	子ども施設指導・支援課
		子ども施設運営課
		私立保育園課
		子ども施設入園課 (4巻)
2階	政策経営部	区政情報課
		区政資料室
		産業情報コーナー
	庁舎ホール	
1階	区民部	課税課 (1巻)
		納税課
		特別収納対策課
	区民ロビー・赤ちゃん休憩室・喫茶コーナー	
	中央館総合案内	
B1階	施設営繕部	庁舎管理課
	夜間休日受付	
B2,3階	駐車場	

南館

階	部	課	
14階	展望レストラン		
13階	大会議室		
12階	会議室		
11階	総務部	契約課	入札室
		特命・調査担当課	
	ガバナンス担当部	ガバナンス担当課	コンプライアンス推進担当課
	環境部	環境政策課	ごみ減量推進課
		生活環境保全課	
	社会福祉法人	足立区社会福祉協議会	
10階	総務部	人事課	
9階	政策経営部	政策経営課	SDGs未来都市推進担当課
		基本計画担当課（1巻）	財政課
		報道広報課（1巻）	シティプロモーション課
	エリアデザイン推進室	エリアデザイン計画担当課	
	あだち未来支援室	協働・協創推進課	子どもの貧困対策・若年者支援課
	総務部	総務課	資産管理課
		資産活用担当課	
	公共施設マネジメント担当部	公共施設マネジメント担当課	
8階	区長室（1巻）	区長室	副区長室
	総務部	秘書課	庁議室
7階	危機管理部	危機管理課	犯罪抑止担当課
	総合防災対策室	災害対策課（p.32）	防災力強化担当課
		調整担当課	
		防災センター	
	施設営繕部	東部地区建設課	西部地区建設課
6階	教育委員会	教育長室	
	教育指導部	教育政策課	
	学校運営部	学校支援課	
	子ども家庭部	子ども政策課（4巻）	青少年課（4巻）
	行政委員会	選挙管理委員会事務局	監査事務局
5階	教育指導部	学校ICT推進担当課	学力定着推進課
		教育指導課	
	学校運営部	学校施設管理課	学務課（2巻）
		おいしい給食担当課	
	施設営繕部	中部地区建設課（p.28）	施設整備担当課
4階	産業経済部	産業政策課	企業経営支援課
		産業振興課（1巻）	
	都市建設部	まちづくり課（p.18）	
		中部地区まちづくり担当課	
		千住地区まちづくり担当課	
	鉄道立体推進室	鉄道関連事業課	
	一般財団法人	足立区観光交流協会	
	行政委員会	農業委員会	
3階	地域のちから推進部	地域調整課	住区推進課
	生涯学習支援室	地域文化課	生涯学習支援課（2巻）
		スポーツ振興課（2巻）	
	絆づくり担当部	絆づくり担当課	
	公益財団法人	足立区体育協会	
2階	衛生部	衛生管理課	データヘルス推進課
		こころとからだの健康づくり課（2巻）	保健予防課
	会計管理室	会計管理室	
	指定金融機関・ATMコーナー		
1階	区民部	戸籍住民課（1巻）	
	南館案内		
B1階	電気諸室		
B2,3階	駐車場		

●その他

小学校（4巻）
特別支援学級（4巻）

中学校（4巻）

区立保育所（4巻）

障がい福祉センターあしすと（2巻）

足立保健所（2巻）
保健センター（2巻）

清掃事務所（p.42）

中央図書館（4巻）

郷土博物館（4巻）

足立福祉事務所
福祉課（2巻）

警察署（5巻）

消防署（5巻）

　　は足立区以外の組織です。

（※掲載されている情報は、2023年4月現在のものです。）

橋、道路づくりの仕事

道路整備課

地域には、たくさんの道路や橋が通っています。いつまでも安全に利用できるよう、橋や道路の点検や補修は欠かせません。

道路、橋の整備

橋や道路は、地域住民の生活に欠かせないものです。道路整備課では、安全に利用できるよう、道路・橋の整備を行っています。

1 都市計画道路とは

道路には、都市計画道路という、まちの骨格になる道路があります。都市計画道路には、交通の流れをスムーズにする、下水・電気・ガス・水道などが通る場所、災害時に避難するときのルートになるなど、住民の生活をささえるための重要な役割を担っています。

2 都市計画道路の整備

都市計画道路の整備は、都道府県か、市区町村が行います。道路整備課は、市区町村が担当する都市計画道路の整備を行う部署です。

新しく道路をつくるときは、まず、道路が通る予定の土地（用地）の住んでいる人や会社などに対して、説明会を開いて、移転のお願いをします。話がまとまったら、土地を買い取り、建物を撤去してから、道路をつくる工事が始まります。

道路整備課の仕事は、地域住民との調整、設計コンサルタントとの打合せ、道路の設計、工事の予算づくり、工事現場の監督など、さまざまな仕事があります。

3 橋の整備

市区町村が管理している橋の点検、補修工事、架け替え工事などを行っています。

橋の架け替え工事とは、橋が古く、壊れてしまう可能性がある場合に、全部もしくは一部を取り替える工事のことです。橋の架け替えを行う場合、関係する管理者と調整しながら進めます。たとえば、川をまたぐ橋では、川の管理者と調整をします。

また、線路をまたぐ橋の場合は、鉄道会社もかかわります。

道路整備課は、いくつもの管理するところと交渉したり、連絡を取り合ったりしながら、工事を進めていきます。

川にかかる橋だけでなく、道路をまたぐ歩道橋の点検も重要な仕事です

道路整備についてくわしく知ろう

新しく道路をつくるとき（都市計画道路）、一般に、次のような流れで進められます。

4 用地測量の説明会

地域住民に、事業の目的を説明し、現在の道路や住宅、新しい道路（都市計画道路）の位置などを図面にするための測量を行うことを説明する会を開きます。

5 測量

測量会社による測量が行われます。

6 用地の買い取り

新しい道路が通る土地の価格や、建物を撤去・移転するときの補償の金額を計算し、個別に話し合いをします。話し合いがまとまったら、契約を交わします。

7 道路工事の開始

建物を撤去して、更地にした後、下水・電気・水道・ガスなどを整備する工事を行ってから、道路工事を開始します。

● 用地測量の説明会の例

1 事業概要の説明
新しい道路が通ることで、住民にとってどのように良い点があるかを、イメージ図を使って説明します。

2 用地測量の説明
測量の手順を説明します。

3 今後のスケジュールの説明

土地物件調査・算定 → 用地アセスメント → 用地補償説明・交渉 → 契約手続・収容手続

土地をゆずってもらうために必要な建物の移転などの補償について、後日、説明会を開くことなども説明します。

測量の説明会

ミニ知識

用地とは何だろう

用地とは、ある目的のために使う土地のことです。住宅用地、学校用地、鉄道用地、建設用地などがあります。

道路整備課

橋の架け替えについてくわしく知ろう

橋を架け替えるときも、事前に住民に説明会を開きます。ここでは、足立区の橋の架け替え工事を例に紹介します。

8 架け替え工事の説明会

毛長川にかかる「一本橋」は、足立区と埼玉県川口市をまたいでいます。この橋を架け替える工事を進めるために、地域住民に説明会を開きます。道路整備課は、説明会当日に住民を集めて説明するほか、広報用チラシの作成、資料づくりも行います。

9 架け替えの理由

橋ができて50年以上たっており、このままでは壊れる可能性があること、昔の耐震基準（地震に耐えられる基準）でつくられた橋のため、現在の基準を満たしていないのが、架け替えの理由です。

10 工事スケジュール

工事の期間、おもなスケジュールを説明します。

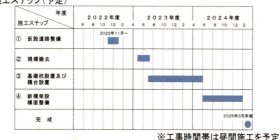

橋を通行止めにするための仮設道路づくり、現在の橋を撤去、新しい橋の基礎工事、新しい橋を架けるまでのスケジュールを示しています

11 工事内容の説明

工事の方法を、イメージ写真を使いながら、分かりやすく説明します。また、工事中に住民に不安や迷惑がかからないよう、対応策も示します。

Q 仮設道路は安全か？ → A 車道と歩道の境目に柵をつくり、歩行者が安全に通行できるようにします。

Q 橋を取り除くときの騒音は？ → A 騒音が出にくく、砂ぼこりが発生しにくい機械を使います。

基礎工事の杭打ちを説明するイメージ図です

12 架け替え後の橋の説明

Q 橋を架け替えると、住民にどのようなメリットがあるか？ → A 架け替え後の橋は、現在の橋よりも60cm広くなる。はばを広げることで、自転車と歩行者の通り道を分けることができ、歩行者の安全が高まります。

● 工事を知らせるチラシ

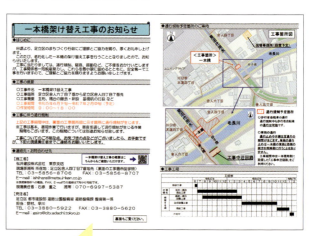

計画発足から工事終了まで、いろんなタイミングで住民へ情報を提供します

はたらく人へインタビュー
橋、道路づくりにかかわる仕事

道路整備課の高木愛さん

Q1 どんな業務をしていますか？

A 橋の点検、架け替えにむけての調整

足立区の橋の点検、補修、架け替えにむけての調整を行っています。橋は、5年に1度点検して、補修が必要な部分を、専門の業者とともに検討します。

たとえば、橋の舗装部分のひびをどういった方法で補修するのか、どんな材料を使うのか、交通規制が必要かなどを決めて、補修の図面を作成してもらいます。その設計をもとに、私のほうで必要な費用を計算し、工事を発注します。

Q2 仕事のやりがいを感じるときは、どのようなときですか？

A 将来の完成図を思い描くとき

橋の架け替え工事は、10年以上はかかります。役所は数年ごとに異動があるので、私がこの部署にいる間に、完成を迎えることはほとんどありません。しかし、将来橋や道路が完成したときに、自分がかかわったものが、その先ずっと使われていくのだと感じています。今の仕事が、将来多くの人の役に立つわけですから、とてもやりがいのある仕事をしていると誇りに思います。

Q3 印象に残っていることは？

A 現場に行くことで理解が深まった

新しい道路をつくるための交通量調査を行ったときは、通行する人の数や時間帯のちがいなどが明らかになり、調査の必要性を感じました。また、今の部署にいる間に工事現場を経験することなく異動する可能性もあったので、別の工事に立ちあわせてもらいました。知識でしか知らなかったことが、実際に見ることで、理解できるようになるのは貴重な経験でした。

☆ 心がけていること

自分の仕事の重要性を理解する

まだ分からないことが多く、特に工事に必要な費用を算出し、それらの費用を積み上げて全体の費用を計算する「積算」という仕事には、とても苦労しています。分からないことはまず自分で調べますが、それでも分からないときは、先輩やまわりの人に相談するよう心がけています。

私の仕事は大きな計画のものなので、その重要性を考え、正しく進めていくことが大切だと考えています。

9

まちの交通にかかわる仕事

交通対策課

住民が移動するとき、自転車、バス、鉄道、タクシーなどの交通手段を使います。だれもが、これらを安心して利用できる交通環境をめざします。

交通安全対策と自転車対策

地域住民の移動をささえる交通環境を整えるために、交通安全対策、自転車対策などを行っています。

1 交通安全の対策

交通事故のない社会をめざして、住民の交通安全の意識を高める活動を行っています。とくに、子どもたちに交通安全の意識をもってもらうために、警察署と協力して、学校に出向いて、交通安全教室を行っています。

2 駐輪場をつくり、管理する

新しく駐輪場をつくるための計画を考えたり、今ある駐輪場が安全に利用できるよう、点検し、必要に応じて補修します。駐輪場を実際に運営しているのは民間の業者なので、交通対策課は、その業者を選ぶ基準をつくり、業者を管理するのが仕事です。

3 放置自転車をなくす

道路に放置されたままの自転車は、道路をふさぎ、歩行者や高齢者にとっては、とても危険です。交通対策課では、放置自転車の対策を行っています。放置自転車の撤去、不要になった自転車の再利用のほか、駐輪場の利用を住民にはたらきかけています。

4 公共交通（バス）をささえる

バスは、地域住民の足となる大切な交通手段です。そのバス路線を強化し、バス停の利用環境を良くすることで、住民がバスを利用しやすいようにしています。とくに、駅前広場や大型商業施設ができると、たくさんの人が集まるため、新しいバス路線の計画を、バス会社と一緒に考えます。

また、市区町村のコミュニティバスを続けていくためには、民間のバス会社との協力が必要です。

コラム 📖 足立区の交通計画

- 交通計画とは、市区町村の交通事情や課題などを把握し、将来にむけた目標を決めて、それを実現するための計画をまとめたものです。

- 足立区では、平成28年度に定めた「足立区基本計画」のなかのひとつとして、「足立区総合交通計画」をつくり、交通にかんするさまざまな事業を進めています。とくにバスは、利用者の減少や運転手の不足などの問題があり、路線の見直しや、バスにかわる交通手段の活用が検討されています。

交通安全についてくわしく知ろう

　自転車は、子どもから高齢者まで手軽に利用できる交通手段ですが、自転車の交通事故が問題となっています。

　足立区内の交通事故のうち、約半分が自転車にかかわるものです。このため、自転車の運転マナーや交通安全の意識の向上をはかるために、警察と協力して、自転車交通安全教室を行っています。

⭐5 幼稚園・保育園での交通安全教室

　交通安全教室は、年齢に応じた内容で開催しています。園児には、正しい道路の歩き方や、横断歩道のわたり方を分かりやすく伝えます。

⭐6 小学3年生への自転車交通安全教室

　小学3年生が対象の交通安全教室では、自転車の安全な乗り方、ルールやマナーを守ることの大切さを教えます。

　教室の最後に、「足立区自転車安全運転免許証」をわたして、安全運転に対する自覚をもってもらいます。

⭐7 中学生、高校生への自転車交通安全教室

　スタントマンを使った体験型の交通安全教室を実施しています。交通事故を再現し、ルールやマナーの違反が重大な結果をまねくことを見てもらうことで、交通安全の意識を高めます。

交通対策課

体育館などで自転車のルールを教わった後、校庭につくられたコースで実際に自転車の正しい乗り方の練習をします

警察官が、「右、左、右、右後ろ」の順に行う安全確認の方法を指導してくれます

講習を受けた児童には、後日、本人の顔写真入りの「足立区自転車安全運転免許証」がわたされます

赤いコーンを歩行者に見立てて、横断歩道をわたる練習も行われます。歩行者がいるときは、自転車を降りてわたりましょう

⭐8 コミュニティセンター、子育てサロンでのお話

住民が集まる場所でも、交通安全にかんする話をします。

たとえば、カラオケ教室の開催に合わせて、高齢者に交通安全教室を開催したり、子育てサロンでは、絵本の読み聞かせ会で子どもを自転車に乗せたときの自転車の乗り方について話したりしています。

⭐9 自転車用ヘルメットの購入補助

令和5年4月1日から、自転車用ヘルメットの着用が努力義務になりました。足立区では、区内に住む人を対象に、安全基準を満たした自転車用ヘルメットを買うときに、金額の一部を補助しています。交通対策課の取り組みのなかでも、重要事業となっています。

⭐10 交通安全運動

春と秋の全国交通安全運動に合わせて、住民に交通ルールを守るように、広報紙やホームページ、SNSなどで呼びかけています。

あだち広報（2023年9月10日号）でも、秋の交通安全運動期間に合わせた呼びかけを行っています。

自転車用ヘルメット購入補助のチラシ

9月21日～30日は 秋の交通安全運動期間

■問先＝交通対策課 推進係 ☎3880-5912

●やめよう！ 自転車危険運転
区内の交通事故のうち、約5割が自転車に関わるものです。ルールを無視した危険な運転による死亡・重傷事故も発生しています。交通ルールを守り、安全運転を心がけて事故を減らしましょう。

区内の交通事故（1月～7月）が昨年同期比で27件増加（計1,094件）

自転車危険運転や反射材など、くわしくはコチラ▶

●反射材などを身に着けましょう！
徐々に日が短くなるこれからの時期、夕暮れどきの事故を防ぐには、明るい色の服装や反射材などを活用して、早めに自分の存在に気付いてもらうことが大切です。

●「キッズ・ゾーン」をモデル整備
保育園児などの園外活動時の交通安全を目的として整備しています。路面標示を見かけた際は減速するなど、配慮をお願いします。
■場所＝東綾瀬地区 ■問先＝子ども政策課 子ども施策推進担当 ☎3880-5266

▲実際の路面標示

⭐11 安全に走行するために

自転車が安全に通行するために、道路には、自転車が通行すべき部分を示した「自転車ナビマーク」や「自転車専用通行帯（自転車レーン）」があります。

交通対策課では、足立区内で、自転車と自動車が一緒に走行する道路において、自転車ナビマークや自転車レーンなどの走行環境の整備を進めています。

交通対策課

自転車レーンの写真

📖コラム 子どもに知ってもらいたい自転車の交通ルール

- ●自転車は、車道の左側を通行しましょう。
- ●自転車で歩道を通行するときは、歩行者を優先して、車道よりを走りましょう。
- ●自転車の安全ルールを守りましょう。
  - ・狭い道から広い道へ出るときは、必ず止まって、安全確認をしましょう。
  - ・夜間はライトをつけましょう。
  - ・あぶない運転はやめましょう。
  - ・傘さし、携帯電話、イヤホン・ヘッドホンを使用しながらの運転は禁止です。
- ●安全な自転車用ヘルメットを着用しましょう。
- ●反射材を腕や足、靴のかかとにつけましょう。

暗くなったら、ライトが当たると光る反射材をつけましょう。自動車の運転手に自分の存在を示すことで、交通事故を防ぐことができます。

駐輪場についてくわしく知ろう

自転車は、身近な交通手段で、環境にもやさしい乗り物ですが、一方で放置自転車が社会問題になっています。足立区では、駐輪場の整備を進めています。

12 足立区の自転車の事情

足立区内の自転車の保有台数は、44万1000台（令和4年）で、東京23区の平均台数の約2倍です。また、区民が移動するときの交通手段は、鉄道が最も多く、自転車は3番目ですが、東京23区の平均よりも自転車の割合が高く、区民にとって自転車のニーズが高いことがわかります。

13 なぜ駐輪場が必要か

駅や大きな商業施設に自転車で来る人が多い一方で、放置自転車が問題となっています。そこで、自転車を利用する人の利便性を整えて、放置自転車を減らすために、駅周辺などに自転車駐輪場をつくっています。

14 区営駐輪場の運営

足立区には、区が運営する駐輪場が57か所あります（有料：48か所、無料：9か所）。

駐輪場を維持していくためには、点検や補修が欠かせません。自転車ラック、照明、防犯カメラ、精算機などの点検や、補修、取り換えは、民間の業者が行います。

また交通対策課は、新しく駐輪場をつくるさいに、管理する業者の募集や、予算づくり、工事の監督などを行います。

足立区の北綾瀬駅周辺にある区営駐輪場。約500台の自転車を収容できます

ミニ知識

自転車ラック

自転車ラックとは、自転車を乗せて収容するための機器で、自転車を効率良くきれいに整頓できます。2段式、スライド式などの種類があり、2段式の自転車ラックは、たくさんの自転車を収容することができるため、スペースが限られている都市部の駐輪場などに設置されます。

ただし、自転車ラックは、年月がたつと、ラックの部品がいたんでしまうため、定期的にメンテナンスを行ったり、部品を交換したりする必要があります。

⭐15 民営駐輪場の整備

足立区には、区営駐輪場のほかに、民営駐輪場があります。足立区の駐輪場の約6割が、民営駐輪場です。

区営駐輪場については、利用者が多い地域は、定期利用のキャンセル待ちで、区営駐輪場を利用するのに3年待ちになっているところもあります。また今後、駅周辺の再開発が進んでいくと、民営駐輪場がほかの施設に変わってしまい、駐輪場が不足する可能性もあります。

こうした事情から、足立区では、区営駐輪場を確保するだけでなく、民営駐輪場に対して補助金を出し、建設費や自転車ラックなどの代金、設置後の管理費用の一部を負担しています。

民営駐輪場に対する補助金の申請受付け、審査のための資料づくりなども交通対策課が担当しています。

⭐16 放置自転車のないまちづくり

足立区では、駅の周辺を自転車放置禁止区域に指定し、自転車を止めるときは、駐輪場を利用するよう案内しています。

放置されたままの自転車は、撤去して、移送所で保管します。保管された自転車を引き取るには、持ち主は費用を払う必要があります。そのほか、家庭で不用になった自転車を無料で回収するサービスも行っています。

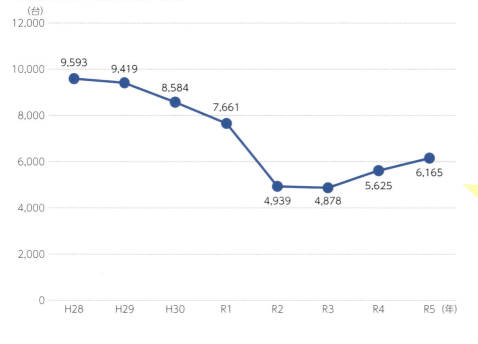

● 放置自転車撤去台数の推移

足立区の放置自転車の撤去台数は、平成28年（2016年）の約9600台から、令和5年（2023年）には約6200台と減少しました

📖 コラム 自転車活用推進計画

- 国の方針として、自転車を活用する取り組みに力を入れています。足立区も、自転車を利用する環境の整備や防犯対策に取り組んできました。その結果、放置自転車の数が減少し、自転車の交通事故が減少するなどの成果をあげました。

こうした取り組みを続けながら、現在の足立区の状況にそった自転車活用推進計画をつくるために、関係する人を集め会議を開いたり、住民へのアンケート調査を行ったりして、その調査結果をもとに、計画を検討しているところです。

公共交通（バス）についてくわしく知ろう

バスは、住民の日常生活をささえる交通手段です。そのバスにかんする足立区の取り組みを紹介します。

⭐17 バス停の整備

民間のバス会社が運営する路線バスのバス停は、バス会社が整備します。一方、足立区のコミュニティバス「はるかぜ」のバス停は、交通対策課が工事業者に依頼して整備しています。

住民がバスを利用しやすくするには、さまざまな環境を整えることが大切です。とくに住民からの要望が多いのは、バス停に「ベンチをつくってほしい」「屋根をつくってほしい」というものです。

足立区では、利用者が多いバス停や、高齢者がよく利用する病院や福祉施設の周辺のバス停などに、優先してベンチや屋根、点字ブロックなどをつくっています。

⭐18 足立区のコミュニティバス「はるかぜ」

路線バスが通っていない地域や、採算が取れないルートには、市区町村などがコミュニティバスを運行することがあります。

足立区では、コミュニティバス「はるかぜ」を、4つのバス会社と協力して、10路線で運行しています。

バス会社と交通対策課が協力して、バス運行状況を知らせる案内板やチラシをつくったり、バス停の位置を調整したりして、より住民が利用しやすい環境づくりに取り組んでいます。

令和5年には、足立区初となる電気で走るバスが1台導入されています

屋根やベンチ、点字ブロックを整備します

コラム 新しい交通手段への取り組み

足立区には、バスを利用しにくく交通が不便な地域があります。そうした地域に、新しい交通手段を導入する方法はないか、検討しています。

令和6年に、特定の地域でタクシーを使った実証実験※を始めました。

※実証実験：実用化する前に、期限を決めて試して、課題などを見つけます

🎤 はたらく人へインタビュー
駐輪場にかかわる仕事

交通対策課の前田勝也さん

Q1 どんな業務をしていますか？

A 駐輪場の新設、管理など

区営駐輪場を新しくつくったり、駐輪場の施設を管理するのが仕事です。

たとえば、新たに駐輪場をつくる場合は、設計会社と設計を行い、工事業者に発注し、工事中は監督をしています。駐輪場の管理では、設備がうまくはたらかないときに現場に出向いて確認し、修理のための工事を発注します。

そのほかに、自転車をもっと活用してもらう「自転車活用推進計画」を決めるための会議を開いたり、資料をつくったりします。

Q2 仕事のやりがいを感じるときは、どのようなときですか？

A 駐輪場を使っている利用者を見たとき

駐輪場の運営は民間業者が行っているので、私が利用者と接する機会はほとんどありません。しかし、新しくできた駐輪場や、補修が終わった駐輪場を利用している人を見たとき、がんばって仕事をして良かったと思います。

Q3 印象に残っていることはありますか？

A アンケート調査に苦労

自転車活用推進計画をつくるための会議資料のため、自転車の利用状況を調べるアンケートを行いました。その調査は、区民1000人分のアンケートを発送して、データの集計まで1カ月半の間で行わなければならなかったため、時間に追われる日々でした。大変な作業でしたが、その資料が計画づくりに役立ったことはうれしかったですね。

☆心がけていること

駐輪場の不具合は迅速に対応する

駐輪場で、何らかの不具合があったと報告を受けたら、できるだけ早く対応するよう心がけています。対応が遅れると、利用者がケガをしたり、事故が起こる危険が高くなるからです。

不具合の内容によっては、直接確認しなければ分からないことも多いので、必ず現場に出向くようにしています。そうすることで、工事業者に正確な情報を伝えることができます。

まちづくりにかかわる仕事 — まちづくり課

地域のまちづくりでは、その地域の特徴に合わせた独自のまちづくりルールをつくり、そのルールにもとづいて事業を進めていきます。

まちづくりの計画やルールづくり

まちづくりの計画や、建物を建てるときのルールをつくるのが、おもな仕事です。

⭐1 地域のまちづくりのきっかけ

市町村では、地域別にまちづくりを考えていきます。地域のまちづくりは、まずその地域の現状がどのようになっているか、その地域にどのような課題があるかなどを調べるところから始まります。

たとえば、住民に、住まいの環境の満足度や、新たに建物を建てるときに気をつけてほしいこと、将来の地域のイメージなどをアンケートして集計します。また、必要に応じて1日にどれくらいの人が行きかうかの交通量調査も行います。これらの調査はまちづくり課が中心となって行います。

そうした地域の情報を住民に伝えて、まちづくり課と地域住民でまちづくりについての話し合いがスタートします。

⭐2 地域住民と話し合う

まちづくりには、地域住民の意見や要望が欠かせません。そこで、住民の代表で「まちづくり協議会」をつくります。

まちづくり課は、このまちづくり協議会と何度も話し合いを進めながら、地域のまちづくり計画をつくっていきます。また、まちづくり協議会の話し合いの日時を調整したり、資料を準備するのも、まちづくり課の仕事です。

⭐3 まちづくりの状況を知らせる

まちづくりの話し合いは数年かかることもあります。そのため、役所のホームページや、チラシなどで、定期的に話し合いで決まったことを住民に知らせます。まちづくり課では、「まちづくりニュース」をつくって、まちづくりの現状とこれからの予定を伝えています。

地域のまちづくりについてくわしく知ろう

まちづくりは、10年以上かかる大きな取り組みです。足立区が進めている地域のまちづくりの例を紹介します。

★4 綾瀬駅東口周辺のまちづくり

足立区・綾瀬駅は、東京メトロの千代田線とJR東日本の常磐線の2つが乗り入れています。

令和2年に、この駅の東口周辺のまちづくり計画が決まりました。その後、東口周辺にある小学校や中学校の新校舎をつくる工事が始まっています。さらに、駅前の開発として、マンション建設の工事が始まっています。

一方、まちづくり協議会から、まちづくり計画を、もっと広い範囲で検討してほしいという声が多くよせられました。そこで、範囲を綾瀬地区全体に広げて、まちづくりを検討しています。まずは、その地域でアンケート調査を行うなど、地域住民の要望やまちの現状を把握していきます。

★5 まちづくりのルール

綾瀬駅東口周辺のまちづくりのルールでは、住民の意見にもとづいて、次のようなルールを検討しています。

①建築物等の用途の制限
建物などの使いみちを地域にふさわしいものにする。

②壁面の位置の制限
歩行者の歩く場所を確保し、圧迫感がないようにする。

③敷地面積の最低限度
土地がせますぎると住みにくくなるので、土地の大きさを確保します。

④垣または柵の構造の制限
道路の安全、緑の多いまちをつくるために高さや形を制限する。

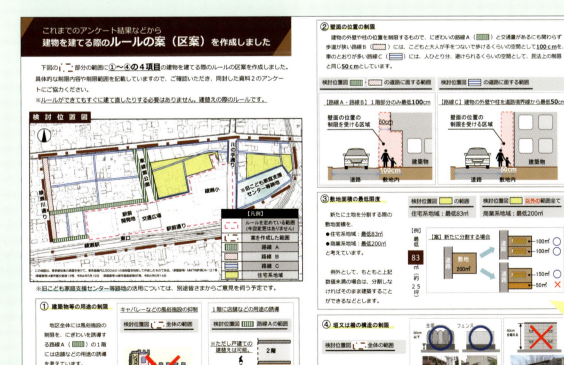

建物を建てるさいの、ルールを説明するチラシ

まちづくり課

⭐6 まちづくりニュース

綾瀬駅東口周辺のまちづくりが、いつから始まり、どのような取り組みを行ってきたのかを分かりやすく示し、さらに今後、どのような取り組みが行われていくのかを、住民に伝えます。

● 綾瀬駅周辺地区のまちづくりニュース

まちづくりのルールを分かりやすく示したものです

綾瀬駅東口周辺のまちづくりの現状を知らせます

これまでの経過が分かりやすく示されています

⭐7 千住大橋駅周辺のまちづくり

隅田川にかかる千住大橋の近くにある千住大橋駅の周辺では、大きな会社の工場が移転することになったため、その土地を利用した地域のまちづくり計画が平成18年につくられました。現在、その計画にしたがって、さまざまな工事が進んでいます。

● 隅田川の親水空間

隅田川の堤防は、水害をふせぐだけでなく水辺に親しめる空間として整備されています

はたらく人へインタビュー
地域のまちづくりを進める仕事

まちづくり課の畑山慎太朗さん

Q1 どんな業務をしていますか？

A まちづくりの計画、ルールづくり

まちづくりの計画や建物を建てるときの地域のルールづくりなどを行っています。足立区は広いので、私はそのなかの千住地区を担当しています。

まちづくりは、まちづくり課だけで考えるものではなく、地域の方々と一緒につくっていくものです。地域住民による団体（町会、商店街組合やまちづくり協議会など）をつうじて、地域住民の考えや声をよく聞きながら、計画を形にしていきます。

Q2 仕事のやりがいを感じるときは、どのようなときですか？

A 住民から賛同をえられたとき

地域ごとに個性豊かな活力のある地域社会をつくるため、日々、住民の方々と話をしています。また、まちの現状や課題をきちんと理解するために、足が棒になるまで地域を歩くこともあります。まちの良いところや、課題などを自分の目で確認することで、住民の方々への説明にも説得力がでてきます。私の説明で、「その計画はいいね」と賛同してもらえたときは、がんばって良かったと、やりがいを感じます。

Q3 今後の目標はありますか？

A もっと専門知識をつけたい

まちづくりの計画は、都市計画法という法律がもとになっています。また、建物を建てるときには建築基準法という法律を守らなければなりません。まちづくりを進めていくには、いろいろな法律も知っていなければなりません。もっと、専門知識を勉強していきたいと思っています。

✨心がけていること

専門用語をわかりやすく伝える

まちづくりの計画は、住民には分かりにくく、最初は、まちづくりの計画とは何かというところから説明しなければなりません。また、書類には専門用語が多く用いられています。たとえば、「延焼遮断帯」という言葉は分かりにくいので、「建物が火事になったときに、ほかに広がらないよう、大きな道路や大きな建物で火事をさえぎる役目をする安全な空間」という説明をします。

このように、住民には、できるだけ専門用語を使わず、分かりやすい表現を使うよう心がけています。

道路、公園にかかわる仕事

道路公園整備室

道路は私たちの生活に欠かせないライフラインであり、公園は私たちにいこいの場を提供してくれる大切な場所です。

私たちが利用する道路や公園は、整備計画を立てつつ、日ごろの点検や補修などを行っていくことで、つねに安全に利用できます。そうした道路や公園の整備を行っている部署が、道路公園整備室です。

整備の仕事のなかには、維持管理があります。足立区では、地域を東西に分けて、東部道路公園維持課と西部道路公園維持課の2つの課で、道路と公園の維持管理を行っています。

道路の維持管理

⭐1 道路の点検、補修

現在、私たちが使っている道路を、つねに良い状態に保ち、交通に問題ないよう整備していく仕事を行っています。

道路は、長年使っていると、路面にひびが入ったり、凸凹が生じたりするなどの問題が起こります。また、道路の脇に植えられた樹木が生い茂ったり、枝が折れたりして、住民や車の通行のさまたげになったりすることもあります。こうした問題を放っておくと、住民がケガをしたり、交通事故をまねくおそれがあります。

そこで、足立区が管理している道路において、日ごろから、道路パトロールを行っています。そこで道路の点検を行い、損傷か所を見つけたら、補修工事を行います。

実際に点検、補修を行うのは、契約している外部の業者です。職員は、この外部の業者と連絡をとりながら、書類作成や進捗状況の確認などがおもな仕事になりますが、道路パトロールに同乗して、道路の点検などを行う場合もあります。また、大きな補修工事になれば、工事の発注も行います。

⭐2 道路にかんする通報を受ける

足立区では、住民からの道路にかんする通報は、24時間体制で受付けています。通報は、東部道路公園維持課だけでも年間約800件です。なかには、緊急に補修しなければ事故になりかねないものも

📖 コラム 道路の役割

● 　道路には、さまざまな役割があります。

● 1）人やものを運ぶ

● 2）水道、電気、ガス、電話線、下水道などを、道路の上や地下から通す

3）日照や通風を確保する空間

4）災害など、万一の時の避難の場所、救援する通路となる

5）火災の延焼を防ぎ、まちを守る

6）まちの形をつくる

あるため、迅速に対応するよう取り組んでいます。

★3 災害時に道路の機能を確保する

地震や台風などの災害時に、道路は緊急車両（消防車や救急車など）が通る大切な役割を担います。そのときに、道路にがれきや木があれば、それらを取り除き、緊急車両が通れる状態にします。

また、大雨で川がはんらんし、立体交差になっている下の道に水が流れ込んだときには、通行者の安全を守るために、通行止めにする手配を行います。そのほかにも、大雪の予報がでれば、路面に凍結防止剤をまいて、通行者の転倒を防ぐ仕事も行っています。

公園の維持管理

★4 公園の点検、補修

公園を美しく保ち、住民が安全に使用できるための仕事を行っています。

公園内には、トイレなどの施設や、ブランコ、すべり台といった遊具が設置されています。それらが古くなって壊れやすくなった状態、あるいは壊れていると、事故につながります。また、公園内の通路にひびが入ったり、凸凹があったりすると、転んでけがをする可能性があります。

そこで、外部の業者に依頼して、定期的に公園内を回って点検してもらい、問題が見つかったら、補修工事を行ったり、危険な遊具を取り除くなど、利用者の安全を確保するための対応を行っています。

とくに、遊具の点検は専門知識が必要になるため、年に１度、専門技術者に遊具の点検を発注しています。点検で、危険性が高いと判断した遊具は、ただちに「使用中止」とします。撤去するまでの間、遊具をバリケードで囲ったり、はり紙をはったりして、子どもが近よれないような対策をとります。

★5 樹木の管理

公園は、地域住民のいこいの場として、たくさんの樹木が植えられています。それらの樹木は、大切な財産として、大切に管理しなければなりません。

そこで、定期的に樹木を剪定（不要な枝や葉を切りそろえること）して、樹木を健全に育てます。また、樹木が生い茂っていると、そこに不審者がいても気づきにくくなります。防犯の点から、公園の外からなかが見えやすくすることも、樹木の管理では大切です。

● 公園の補修工事

★6 住民からの苦情の対応

公園では、ボール遊びのルールなど、利用するときのルールが決められていますが、なかにはルールを守らなかったり、夜間に公園で騒いだりする人がいます。そうした迷惑行為について、住民から苦情がよせられます。対策として、注意喚起の看板を立てたり、外部業者や職員が現場に出向いて、迷惑行為を行っている人に声かけをして、正しく利用してもらうよううながします。

道路の維持補修についてくわしく知ろう

道路の補修には、広い範囲で道路の舗装工事などを行って、道路を再生する道路補修と、部分的な道路の損傷で緊急性がある場合に行う維持補修があります。

⭐7 足立区が管理する道路

足立区が管理する道路は、足立区全体で960kmあり、これは東京－大阪間を往復した距離とほぼ同じです。

⭐8 道路の維持補修

さまざまな役割をもつ道路を安全に利用するためには、日ごろから維持補修が必要です。目で見て分かるような路面の損傷には、次のようなものがあり、道路パトロールや住民からの通報で見つかります。

緊急性がある場合は、ただちに補修工事を行います。

● 目で見て分かる道路の損傷

- 路面の破損：ひびわれ、破損、凸凹、陥没など
- 側溝の破損：ひびわれ、凸凹や段差（がたつき）など
- ミラーの不具合：ミラーの角度のずれ、ミラーの割れ、支柱の曲がりなど
- 街路樹の剪定：民家へ枝が越えた、倒木、落ちた枝、落葉など

道路公園整備室

● 道路の維持補修例

補修前

補修後

公園のルールについてくわしく知ろう

⭐9 足立区の公園

足立区には、342の公園と、147の児童遊園、約100か所のプチテラスがあります。これらを東部および西部道路公園維持課が維持管理しています。そのほか、荒川の河川敷にある野球場の管理も行っています。

⭐10 足立区の公園のルール

公園の利用者や近くの住民が、互いに気持ち良く過ごせるよう、以下のような公園の利用ルールが決められています。

また、お祭りや大勢で利用するときは、前もって許可を受ける必要があります。一部の公園では、ペット（犬や猫）を連れて入ってはいけないルールになっています。

● 公園のルール

1) 犬のフンは持ち帰り、散歩時はリードでつなぐ。
2) 迷惑となる危険な球技等の遊びは不可。
3) 園内の施設や樹木・草花を大切に。
4) 園内では自転車をおりて通行する。
5) 夜は静かにする。
6) 火気の使用は禁止。
7) 花火は、手持ち花火以外は不可。後始末をすること。
8) ゴミは持ち帰る。
9) 小さなお子さんから目を離さないこと。
10) 物品の販売など営業を目的とした行為は不可。
11) バイクの乗り入れはできない。
12) ラジコン・リモコン式飛行機・ドローン等は禁止。
13) 他の利用者の迷惑となる行為は禁止。
14) 園内は全面禁煙。

道路公園整備室

公園のルールが書かれている看板

📝 ミニ知識

児童遊園とプチテラス

児童遊園とは、子どもが外で楽しく遊ぶことができる、小さな公園です。おもな遊具には、ブランコ、すべり台、鉄棒などがあります。

プチテラスは、公園や児童遊園よりも小さな公園（ポケットパーク）です。

はたらく人へインタビュー
道路の維持管理の仕事

東部道路公園維持課の小川雄也さん

Q1 どんな業務をしていますか？

A 道路の最前線の仕事

私は区道の維持管理を担当しています。維持管理といってもいろいろあります。道路のひび割れや段差を補修する工事、災害時の道路の安全確保、児童が安全に通学できるよう、通学路で問題となる箇所を学校関係者とともに確認すること、橋の点検などを行っています。

私たちは、道路の最前線にいるという自覚のもと、区民が安心して利用できる道路の維持管理に努めています。

Q2 仕事のやりがいを感じるときは、どのようなときですか？

A 区民からの感謝の言葉

だれもが、道路は、安全に通行できることが当たり前と思っています。私も、区が維持管理・補修を行うものと認識しています。しかし、そうした当たり前の仕事を行うなかで、区民の方から感謝の言葉をかけられると、改めてこの仕事の大切さを再認識し、やりがいも感じました。

Q3 印象に残っていることは？

A 初めての工事発注

初めて道路の舗装工事を発注したときのことが印象に残っています。工事を始めるにあたって、現場を何度も確認し、住民に工事の説明を行いました。さらには警察署と工事による通行止めなどについての協議を重ね、下水道局とはマンホールの高さなどの調整作業を行い、ようやく工事に入ることができました。工事期間中も業者との打合せを何度も行い、住民からの要望に対して、対策を考えるなど、ひとつの工事にこれほどたくさんの仕事があるとは思いませんでした。そして、どれもがとても大変でしたが、忘れられない仕事となりました。

☆心がけていること
道路の巡回でしっかり確認する

道路のメンテナンスでは、ふだんは業者が巡回しているのですが、私も現場に出ることがあります。パトロール車からの巡回で心がけているのは、この道を区民が歩いたら、自転車が通ったらどうなるかを想像しながら、現場を見ることです。

道路公園整備室

はたらく人へインタビュー
公園の維持管理の仕事

東部道路公園維持課の櫻庭ゆめのさん

Q1 どんな業務をしていますか？

A 公園内の通路の補修、工事の発注を行う

公園の維持管理がおもな仕事です。維持管理を行う職員には、造園職と土木職の職員がいて、土木職の私は、公園内の通路の凸凹をなおしたり、工事の発注を担当しています。また、遊具や施設が故障したさいに、工事業者を手配しています。

そのほかにも、公園を利用する人からの通報を受けて、公園ルールを周知してもらうために、公園内に注意看板をたてたり、現場に行って状況を確認したうえで、契約している業者に連絡して、声かけなどの対応を行ってもらうなどの仕事をしています。

Q2 仕事のやりがいを感じるときは、どのようなときですか？

A 話し合いのとりまとめ役で信頼を得た

親水水路ぞいにある、老朽化した木製デッキの工事を発注し、工事が完了した現場を見たときにこの仕事のやりがいを感じました。工事を実施するために近隣の町会の方のもとへ訪問し工事の説明をしたり、何度も現場を確認し業者さんとの打合せを重ねたりしました。

そのデッキにはベンチと藤棚があり、バスを待つ人や、散歩の合間に水路ぞいで涼む人などのいこいの場となっています。工事後、きれいになったデッキを利用している方々を見て、達成感を感じました。

Q3 これからの目標を教えてください

A 楽しめる公園づくりをしてみたい

公園の遊具などは、古くなったり壊れたりしたら撤去するのですが、そのままなくすのではなく、私はワクワクするようなものを追加できないかと思っています。将来、誰もがワクワクして、楽しめる公園をつくってみたいと思っています。

★ 心がけていること

何よりも「安全」が第一

公園の維持管理において、何よりも安全第一を心がけています。そうして、私たちが工事した現場や新しく設置した遊具で、楽しそうに遊ぶ利用者を見るとうれしくなります。

そのほかにも、区民の方とかかわるさいに、常に平等な立場にたって、ものごとに向き合うことを心がけています。

公共施設の建設にかかわる仕事

中部地区建設課

公共施設の建物をつくったり、改修したりする工事です。大きな工事であれば、計画に数年、工事に数年かかることもあります。

公共施設の建築、改修を行う

公共施設の建物を新しくつくったり、傷んだ部分を直したりすることを、「営繕」といいます。役所のなかで、公共施設の建築、改修などを行っているのは、営繕部や営繕課と呼ばれる部署です。

⭐1 公共施設の営繕にかんすること

市区町村が保有する建物には、役所、学校、図書館、公民館などがあります。そうした建物をつくったり、修繕するときの、工事の計画、設計、工事にかんする仕事を行います。

とくに昭和時代の、人口増加のためたくさんつくられた学校は古いため、大きな改修をしたり、新しく建て替えたりする必要のあるものが少なくありません。このため営繕の仕事は、学校にかんするものが多くなっています。

また足立区では、学校の防災対策として、計画的な耐震改修の設計、工事を行っていて、すでに、全学校の耐震補強が終わっています。

⭐2 建物の点検、保守

建物や設備の部分に損傷や変形などの異常がないかを点検します。その結果にもとづき、部品の取替えや塗装などの保守作業を行います。

⭐3 本庁舎の改修

足立区役所の施設営繕部では、区を3つ（東部地区、西部地区、中部地区）に分けています。本庁舎の改修は、中部地区建設課が担当しています。

足立区役所の北館は、すでに築38年が経過し、設備などが古くなっています。そこで、令和6年より設備の改修工事を開始する予定です。中部地区建設課では、その改修の計画、設計、工事の仕事を行います。

建物の外に、鉄筋などの補強材を斜めに通すことで、地震などで建物が変形するのを防ぎ、なかにいる人を地震から守ってくれます

公共建物の工事についてくわしく知ろう

公共建物の新築や改築、改修工事は、次のような流れで進みます。

★4 工事の計画から設計図作成まで

公共建物の新築や大きな改修工事などでは、以下の4つの計画が立てられます。

1. 基本構想
2. 基本計画
3. 基本設計
4. 実施設計

基本設計は、建物の具体的な間取りや寸法など、設計図の基本となる部分を決めるものです。実施設計は、実際の設計図を決めるものです。設計図の作成は、民間の設計業者が行います。

一方、部分的な改修が必要な場合は、実施設計から始まります。その場合、まず担当部署が仕様書（改修の要望を示したもの）をつくり、設計業者と一緒に現場を見て、話し合いをしながら、一緒に設計図を作成します。そのさいに、その施設をおもに管理する主管部署の要望も盛り込みながら、図面を仕上げます。

★5 工事業者を決める

実際に工事を行う工事業者を決めるには、設計図のほかに、工事の費用も重要です。工事に必要な材料と数量、労力を予測し、それらの費用を積み上げて、全体の費用を計算することを「積算」と言います。この金額が、工事業者を決める「入札」の上限価格となります。

★6 工事を監督する

工事業者が決まったら、工事業者と工事内容や日程の調整を行い、ようやく工事の開始となります。

工事期間中は、仕様書や設計図にそった工事が行われているか、現場に出向いたり、工事業者と確認したりしながら、監理します。

★7 工事の完了

工事が完成後、確認を行います。さらに、主管部署にも確認してもらい、問題がなければ終了となります。

> 私の仕事は「工事監理」と言い、工事が設計図通りに行われているかを確認する役目です。常に工事現場にいるわけではなく、必要なタイミングで出向いて、問題がないかチェックします。問題が起こりそうな場合は、工事業者と話し合い、解決します。
> 一方、「工事管理」は、工事現場において、工事を動かす責任者です。監理と管理は、おなじ読み方ですが、役目が異なるのです

中部地区建設課

建物の機械設備についてくわしく知ろう

建物には、さまざまな機械設備があります。

★8 機械設備とは

機械設備には、給水設備と排水設備、空調設備、換気設備、昇降機設備などがあります。建物の大きさ、使用目的に応じて設置されています。

★9 給水設備と排水設備

給水設備とは、建物内で水を使うための設備です。排水設備は、よごれた水を、建物の外に排出するための設備です。両方合わせて、給排水設備といいます。

給水設備	・給水管：建物内に水を引き込むための配管 ・貯水槽：水をためる装置 ・給湯設備：お湯を出すためのもの
排水設備	・排水管：よごれた水を流す配管 ・通気管：水をスムーズに流すため、空気を逃す管 ・排水槽：排水管の水を一時的にためておく ・排水ポンプ：水をポンプで下水管に流す

★10 空調設備と換気設備

空調設備は、建物内の空気や温度をコントロールする設備で、冷暖房を行う業務用エアコンがこれにあたります。

換気設備は、建物内の空気を、外の新鮮な空気と入れ替えるための設備です。

最近の建物は、窓が開かないため、空調や換気の設備は、ますます重要になっています。また、省エネルギーのためにも、定期的な点検や維持管理は欠かせません。

★11 昇降機設備

エレベータやエスカレーター、荷物専用昇降機などがあります。設備を常に良好な状態に保ち、重大な事故を防ぐためには、保守点検が重要です。

中部地区建設課

本庁舎のエアコンを、省エネのため新型に取り替える工事を行っています。中部地区建設課が担当しています

はたらく人へインタビュー
建物の維持保全を行う仕事

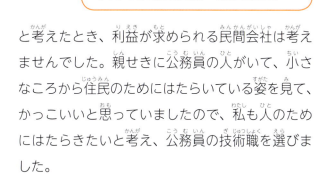

中部地区建設課の朝倉拓也さん

Q1 どんな業務をしていますか？

A 給排水設備、空調設備を担当

足立区が保有している小学校や中学校、一般施設の機械設備の維持保全を行っています。私は機械設備の担当なので、おもに給排水設備や空調設備を担当しています。

給排水設備では、建物で水が使えるようにするための工事の発注や、工事の進行具合を確認します。空調設備では、エアコンを設置したり、換気扇を設置したりする工事を行います。そのほか、消防関係の工事も担当しています。たとえば、学校の消火栓ポンプの設置などです。いずれの設備も、建物に当たり前にあるものですが、その建物で過ごすためになくてはならないものです。

Q2 公務員をめざした理由は何ですか？

A 専門知識を地域のためにいかしたい

私は大学で学んだ機械工学の知識をいかしたいと考えたとき、利益が求められる民間会社は考えませんでした。親せきに公務員の人がいて、小さなころから住民のためにはたらいている姿を見て、かっこいいと思っていましたので、私も人のためにはたらきたいと考え、公務員の技術職を選びました。

Q3 仕事のやりがいを感じるときは、どのようなときですか？

A 自分がかかわった成果が見えること

建物を新しく建てる仕事もあります。以前、新築を担当したことがあり、何もない場所に建物が建ったとき、自分がかかわった成果が一目でわかりました。さらに、その建物が実際に住民に利用されているのを見て、住民の役に立つ仕事をしたのだというやりがいを感じました。

☆ 心がけていること

「ほう・れん・そう」を忘れずに

おもに工事を担当しているため、毎日、業者の方からさまざまな報告や相談を受けます。そのなかには、すぐに返事をしなければいけないものもあります。ところが、どう返事したらよいかと考えているうちに返事が遅れてしまい、そのために工事が予定よりも時間がかかってしまったことがありました。そのときの反省から、自分だけで抱えず、上司や周囲に「報告（ほう）・連絡（れん）・相談（そう）」することを心がけています。

31

住民の生命・財産を守る仕事

災害対策課

災害への対策や、避難所や防災センターの運用、防災訓練など住民を守るための仕事を行います。

災害備蓄品の管理

足立区の災害備蓄品をおく倉庫にある物品は、約69万人の住民に対応できるだけの量ですからぼう大です。このため、使用期限がせまった物品の入れ替えだけでも大仕事です。

1 災害備蓄品

災害に備えて備蓄してある「災害備蓄品」をおもに管理しています。備蓄しているものは、アルファ化米、クラッカー、水、毛布、エアマット、携帯トイレなどの物資で、避難所となる区立小・中学校、都立高校、大学等の倉庫に備蓄しています。また、発電機や応急手当に必要な医薬品も区が備蓄しています。

食料や水には賞味期限があるため、期限が切れる前に計画的に新しいものに入れ替える仕事もしています。備蓄食品約80万食のうち、2023年度には約6万食を入れ替えましたが、備蓄品をムダにしないように、使用期限が残り1年以下のものは、希望する町会・自治会などを経由して、防災訓練参加者などに配っています。

ほかに、区内の災害備蓄倉庫には、上記以外の物品や防災訓練用品を保管しています。

2 水の確保

水は人間が生きていく上で最も重要なもののひ

品目ごとに箱づめされたクラッカーです

コラム ローリングストック

- 災害用の非常食を家庭で用意するさいに、長期保存ができる専用の保存食をストックするのではなく、ふだん食べている缶詰やインスタント食品、パックご飯などを用意しておき、賞味期限が近いものから順番に食べ、新しいものを買い足していく、ローリングストックという方法があります。入手がかんたんで安価なので、気軽に備蓄を始められるという良さがあります。

とつです。このため、避難所等には、予想される避難者に応じてたくさんの水が備蓄されています。

また、避難所の水のほかに、飲料水を確保するために公共施設や公園の地下に水をためる水槽が設置されています。

★3 避難所や設備の点検

災害のとき、各施設が使えないようでは困ります。このため施設の発電機や倉庫内の設備が問題なく使えるかを定期的に確かめるのも重要な仕事です。

防災訓練

地震、水害などに備えて、避難所を運営している地域の方や消防署と協力して、小学校や中学校などで防災訓練を行っています。

★4 起震車で地震体験

起震車は区内の学校・町会自治会・事業所等に出張して、地震体験を行っています。地震を体験できる起震車でゆれを感じて、地震が起きたときどうやって身を守ればいいのか、また、あわてずにどんな行動をすればいいのかを学んでもらいます。

★5 けむり体験

テントのなかで行う「けむり体験」もあります。けむりのなかをしょうがい物をさけながら進む体験ですが、けむりは高いところに登っていく性質があることを、リアルな経験で知ることができます。

これにより、いざというときからだをかがめて低い姿勢で避難することで、けむりに巻かれず逃げることができることを、実体験として身につけてもらいます。

★6 消火訓練

消防署の協力のもと、水消火器で火を消す、初期消火の訓練も行います。消防士や消防団員から消火器の使い方を教わるのは、なかなかできない貴重な体験です。この経験が、火災を初期消火して、被害を最小限におさえる役に立つかも知れません。

● 起震車

地震体験をすることができます

災害対策課

7 避難者の受付訓練

災害が発生したとき、第一次避難所は、避難所に近い町会・自治会を中心とした避難所運営本部により区立の小中学校、都立高校などに開設されます。この組織には、町会・自治会の方や、PTA、そして「おやじの会」など住民の方が参加しています。このため、年に1回の防災訓練では、実際に災害が起きたときに避難所でスムーズな受付けができるように練習しています。

ミニ知識

家庭で備蓄する食料品

ひとりあたり最低3日分、できれば1週間分の水と食料の備蓄をしましょう。

- 水：ひとり1日およそ3リットル使います。
長期保存型の水（賞味期限5～10年）がありますが、ペットボトルの水をローリングストックしてもいいでしょう。水道水でも3日程度は保存可能です。

- 食料：1日3食分（最低3日分～7日分）
災害時は、電気やガス、水道が使えない場合もあるので、火や水を使わない食品を用意しましょう。主食、主菜、副菜の栄養バランスに気をつけることが大事です。また、非常時でも美味しいものを食べるとホッとします。お菓子や果物、食べなれたレトルト食品、缶詰をローリングストックしておくことで、あきずに食べ続けることができます。

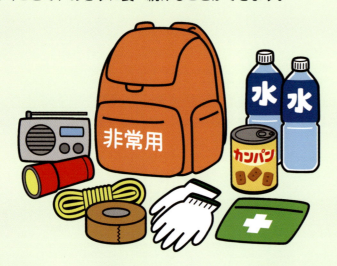

● 非常用持ち出し袋
袋には、飲料水、食べ物、携帯トイレ、歯磨きなどの衛生用品・救急用品、懐中電灯、軍手、下着、携帯ラジオなどを入れておき、いつでも持ち出せるようにしておきましょう。

乳幼児がいる場合

● 用意するもの
粉ミルク
離乳食
水は多めに（軟水）
食物アレルギーがある乳幼児がいる場合は、アレルギー用食品を、ふだんから多めに用意しておきましょう。

高齢者がいる場合

● 用意するもの
そしゃくが困難な高齢者は、おかゆや流動食などのように、やわらかくて食べやすい食品を用意しましょう。慢性の病気がある人は、減塩食などの自分に合った非常食を用意しましょう。

はたらく人へインタビュー
災害に備えて、訓練や準備をする仕事

危機管理部の高須翔兵さん

Q1 どんな業務をしていますか？

A 災害に向けた訓練と、備蓄品などの管理

地震、水害のような災害に備えた訓練と、備蓄品の管理などをおもに行っています。

地域の方や消防署などと協力しながら、小中学校などで防災訓練を行うほか、実際の災害時には、消防署や警察署と連けいして区民の生命・財産を守ります。

災害に備えて水や保存食などの備蓄品の管理をするのも、大事な仕事です。有事の時に、備蓄品の期限が切れたりしないようにいつも気をつかっています。

Q2 仕事のやりがいを感じるときは、どのようなときですか？

A 区民を守る仕事をまかされていると感じるとき

日々の仕事が、区民の人たちを直接守ることにつながっているため、業務に誇りをもって取り組むことができています。

台風のさい、夜通し災害に対応し続けたこともありました。そのときは幸い大きな被害もなくてすみましたが、反省点も多く、この経験をもっともっといかせるようにしたいと考えました。

Q3 印象に残っていることは？

A 地域の人と行った防災訓練

初めて自分がメインで行った防災訓練が印象に残っています。調整がうまくいかず、区民の方からおしかりをうけたこともありましたが、最終的には「担当が君でよかった」といっていただけたのがうれしかったです。

令和6年能登半島地震で、物資を届けに七尾市に派遣されたことも大きな経験でした。

★心がけていること

コミュニケーションが大事

何事もひとりでできる仕事はなく、協力が大切ですから、職場でのコミュニケーションを大切にしています。

仕事の内容だけでなく、プライベートのことも同僚と楽しく話すことで、日ごろから良い関係性を築くことができ、悩みごとなども相談しやすくなると思っています。

まちの防災化を進める仕事

建築防災課

住民が安全にくらせるように、建物の耐震化を進めるほか、木造住宅が密集した市街地を整備して、火災が広がらないようにしています。

建物の耐震化を進める

地震に強い建物を増やすために助成金を出しています。また、家具の転倒防止器具取付や、窓ガラスの飛散防止工事、燃えない建物を建てるさいにも助成金を出しています。

1 耐震助成金

昭和56年（1981年）5月以前の建築の建物は、現在の耐震基準を満たしておらずとくに地震に弱くなっています。これらの建物を耐震診断士に診断してもらって、強度が不足していた場合、地震に強い建物に改修することや、解体して更地にするさいにも助成金を出しています。また、昭和56年6月から平成12年（2000年）5月以前に建てられた新耐震基準の木造住宅も同様に助成を行っています。

2 ブロックべいのカット

コンクリートブロックを積んだブロックべいは、地震でたおれたさいに、人が下じきになることもあり、とても危険です。このため、道路に面する高さ1.2m以上のへいを撤去したり、上部をカットしたりする工事にも助成金が出ます。

3 家具転倒・窓ガラス等の飛散防止

大地震のとき、家のなかにも危険がいっぱいです。とくに家具がたおれてきたり、割れたガラスで足を切るなどのけがは多いのです。このため、居住する住宅の家具転倒防止や窓ガラス飛散防止の工事費にも助成金が出ます。

4 地震火災を防ぐ

また、木造住宅が密集している地域内の住宅に、震度5強の地震のとき、自動で電気のブレーカーが落ちて、火事を防ぐ装置「感震ブレーカー」を設置するさいにも助成金が出ます。地震後の火事は、大きな被害をもたらすことが多いので、これらは非常に有効な対策と考えられています。

コラム リフォームも推進する

- 防災だけでなく、区民が住んでいる住宅の各種リフォーム工事も助成してくれることがあります。
- 個人住宅の場合、老後の備えに65歳未満の方を対象に、手すりの設置や、床のすべり止め、段差の解消、風呂・トイレなどの改修工事費の一部を助成します。新型コロナウイルス感染症が流行したさいには、在宅勤務のための間取り変更や、玄関わき手洗い器の設置工事も助成対象となりました。

防災のためのまちづくり

足立区では、防災のため、木造住宅が密集した市街地を整備して安全なまちをつくる「防災まちづくり」を進めています。

国土交通省は、地震のさい火災が起きる可能性があり、特に危険な地域を公表しています。

★5 密集市街地整備事業の推進

木造住宅が密集していて、防災上危険なまちの古い住宅を建て替え、また公共施設を整えることで、より住みやすく、安全なまちにしています。

★6 不燃化特区

区内の一部地域では、古い建物を解体した時に、助成金が出る不燃化特区という制度を進めています。

木造の住宅が密集している地域で火事が起きると、火が燃え広がりやすく、さらに住民も避難しにくいためとても危険です。

また、これらの建物は、建てられてから長い年が経ち、老朽化しているものも多いのです。

古い建物の建て替え工事を増やし安全なまちにするため、土地や建物をもっている方を対象とした助成金の相談会を開いています。

● 不燃化特区区域図

※地図は簡略図。エリア内で一部含まれない区域あり

東京都が特別な支援を行う地区を「不燃化特区」として指定しています

建築防災課では、各種助成金などについて、住民からの相談をうけています

ミニ知識

耐震診断士と耐震改修施工者

足立区では、古い木造住宅の耐震性を調べてくれる耐震診断士や、家具転倒防止工事や、耐震改修工事をしてくれる耐震改修施工者を区民に紹介しています。

業者の中には必要のない工事をすすめたり、あとで高額な請求をする悪徳業者もまざっていますから、きちんとした業者に建物の安全性を確かめてもらうことで、暮らしに安心がうまれるのです。

地震・火災に強いまちづくり

重要な道路と道路ぞいの建物を整備して、火事が広がるのを防ぐ防火帯をつくり、避難路を確保することが大切です。

7 道路のはばを広げる

密集市街地整備事業では、道路のはばを広げて防火帯とし、火事の延焼を防ぎ、また消火や救援活動をしやすくしています。なかでも、防災上重要な道路は「防災生活道路」と呼ばれ、積極的に整備が進められています。

ただし、道路のはばを広げるには、住民の協力が欠かせず、また用地を買収するには予算もかかるという問題があります。

8 セットバック

建築基準法では、はばが4m未満で、車両のすれちがいがむずかしい道路に接する家を建て替えるときに、道路の中心線から敷地を2m後退させる必要があります。

これをセットバックといい、災害のさいに緊急車両が走りやすく、また避難をしやすくするために行われます。

関東大震災や東京大空襲による火災では、足立区も大きな被害をうけました

ミニ知識

関東大震災と火災せん風

大正12年（1923年）の関東大震災で、多くの人命をうばったのは地震そのものよりも火災でした。

大規模な火災が起きると、上昇気流が発生し、炎を巻いた「火災せん風」になると考えられていて、風速60m以上、温度は1000℃の巨大なつむじ風が何度も起き、多くの人を巻きこんだと考えられています。関東大震災以外にも、広島・長崎の原爆投下や東日本大震災でも火災せん風は観測されています。

関東大震災による火災は3日間にわたって続き、死者・行方不明者、約10万5000人のうち、9割が火災による被害者と考えられています。このため、火災に備えることは災害対策の大きな柱となっていて、足立区でも特に不燃化を進めていく地域をもうけています。

はたらく人へインタビュー
建物の防災対策を進める仕事

Q1 どんな業務をしていますか？

A 建物の防災対策に助成金を出す

建物やブロックべいの防災対策や、感震ブレーカーの設置、家具の転倒防止などをした区民に、助成金を出して、みなさんの家や命を守る手助けをしています。

また、イベントなどに出張して、区民に耐震対策の大切さを伝える活動などを行っています。

建築防災課の細木敬祐さん

Q2 仕事のやりがいを感じるときは、どのようなときですか？

A 足立区が安全なまちになる手伝いができたとき

防災対策を進めることで、区民の安全が高まり、みんなが安心して暮らせる足立区になっていく手伝いができたと感じられるときです。

また、建築関係の専門用語はたいへん難しく、相談される方たちも苦労していますが、分かりやすく説明できたときは、相手の気持ちによりそうことができたと感じます。

Q3 印象に残っていることは？

A 必要な資格がとれたとき

業務で必要な一級建築士の資格をとれたときは区民や業者の方から信頼され、自信を持って仕事ができる存在に近づいたと感じました。

公務員は、たくさん異動をくり返しますが、これからもいろいろな職場を経験し、みんなからたよられる先輩に成長していきたいと思います。

★ 心がけていること

（ 分かりやすい言葉をえらぶ ）

建築関係の専門用語になじみのない人も多いので、電話や窓口で区民の方からの相談に答えるさいには分かりやすい言葉を選び、また絵などを見せながらかみくだいて説明するよう心がけています。

また、公金をあつかうので、金額にまちがいがないよう慎重にチェックしています。

ハザードマップ

近年、集中豪雨による水害が増えています。ハザードマップは、住民に自然災害の危険性を認識してもらい、万が一のときに、住民が速やかに避難するための重要な情報です。

　令和元年10月の台風19号では、荒川河川敷は完全に水没するほど水位が上昇しました。足立区では、大切な命を守るためにハザードマップを作成し、住民に周知しています。

 ## ハザードマップとは

　「ハザードマップ」とは一般的に、自然災害による被害を最小限に抑えるために、被害が予想される地域や避難場所、避難経路などを示した地図です。ハザードマップには、洪水ハザードマップ、土砂災害ハザードマップ、津波ハザードマップ、高潮ハザードマップなどがあります。
　全国の市区町村は、自然災害を想定したハザードマップを作成する義務があります。足立区でも、水害に備えるために「洪水・内水・高潮ハザードマップ」を作成し、区内全戸・全事業所に配布しています。

 ## ハザードマップのつくり方

　水害のハザードマップを作成するときは、まず、国や都道府県などの河川管理者が作成した、浸水想定区域（浸水の深さや浸水している時間）のデータを利用します。地図は浸水の深さや浸水時間ごとに色分けされ、避難場所や避難経路などの情報も書かれています。
　ハザードマップを作成するときは、住民の目線で考えることが大切です。事前に、地域の特性を理解し、住民を集めた防災ワークショップなどを開いて、地域の事情をふまえたハザードマップづくりを心がけます。

 ## 足立区の洪水・内水・高潮ハザードマップ

　「洪水・内水・高潮ハザードマップ」は、さまざまな水害リスクや避難にかんする情報等をまとめたものです。
・洪水：台風や大雨による河川のはんらんや堤防の決壊による水害
・内水：下水道や水路などからの浸水被害のこと
・高潮：台風や発達した低気圧が通過するさい、海水面（潮位）が大きく上昇するのが高潮

 ## ハザードマップの使い方

　「洪水・内水・高潮ハザードマップ」では、浸水想定区域、避難施設と避難方向のほかに、さまざまな情報が掲載されています。そのなかには、足立区が設置した24時間利用可能な土のうステーションの情報も記載されています。
　ハザードマップを見るときは、以下を確認します。
1. 浸水リスク：自宅周辺が浸水する危険性を確認
2. 避難先：避難先と避難経路を確認
3. 水害に備える：備品の準備、自宅周囲の点検、災害情報の入手先、家族との連絡方法などを確認

避難時の注意、水害の備えなども分かりやすく掲載されています

5 ハザードマップの閲覧方法

足立区の場合、ハザードマップは各家庭に配られるほか、区のホームページでも見られます。また、電子ブック版は、スマートフォンやタブレットから見ることができ、外国語の翻訳機能や音声読み上げ機能、文字が大きく表示されるポップアップ機能などが備わっています。

● 洪水・内水・高潮ハザードマップ

ハザードマップの一例。「荒川がはんらんした場合」のハザードマップ（浸水想定区域図）

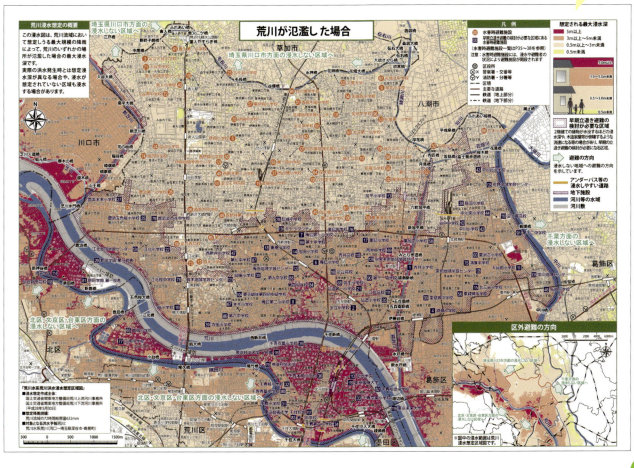

地域のごみにかかわる仕事　清掃事務所

私たちが日ごろ使っているものは、いずれごみになります。そのごみを減らしたり、資源として利用したりすることは、地球の環境を守ることにつながります。

ごみの収集と資源の回収

私たちの毎日の生活のなかから出てくるごみは、市区町村の清掃を担当する部署が集めて、それぞれの処理施設へ運びます。清掃を担当する部署とは、役所によって、清掃課やごみ収集課、清掃事務所など、名前が異なります。

ごみを集める

家庭から出るごみは、大きく分けると、燃やすごみ、燃やさないごみ、粗大ごみの3種類があります。

住民がごみを出すルールは、市区町村ごとにちがいますが、ふつう種類ごとに出す曜日と地区が決められています。ごみを出すときは、その日に、集積所という、ごみ収集車がごみを収集するまでの仮置き場に置きます。それらを、ごみ収集車が集めて、処理施設へ運びます。

資源を回収する

私たちがごみと思っているもののなかには、再利用（リサイクル）できる資源があります。資源には、びん、缶、ペットボトル、紙などがあります。市区町村によっては、一部の資源を燃やせるごみとして収集しているところもありますが、多くは資源として区別して回収し、リサイクル施設で新たなものに生まれ変わります。

ごみの相談を受ける

清掃事務所には、住民から、電話やメールなどで、ごみにかんするさまざまな相談がよせられます。その相談に対応しています。

● 住民からの相談例

住民からの相談	対応事例
集積所のごみがカラスにあらされて困る	ごみにかける防鳥ネットやコンテナを無料で貸し出している
近所に、きちんとごみを出さない人がいる	区の担当部署（ふれあい指導班）が訪問して、解決方法を提案したり、出された住民に直接説明にうかがったりする

環境学習でごみについて伝える

ごみが増えると、環境汚染や地球の温暖化など、さまざまな問題が増えることになります。また、資源には限りがあるため、資源を大切に利用しなければなりません。私たちができることは、ごみを減らし、使えるものはくり返し使い、資源を再利用する意識をもつことが大切です。

そうした意識をもってもらうために、清掃事務所職員が小学校の授業や地域の集会に参加して、ごみのゆくえやごみの減らし方などについて話をしています。

ごみの収集についてくわしく知ろう

ごみの収集はどうやって行われているのかを、足立区の清掃事務所の1日の流れで見てみましょう。

⭐5 足立区のごみ収集

足立区内のごみの収集は、清掃事務所の職員だけでなく、民間の清掃業者にも依頼しています。足立区では、1日に約100台のごみ収集車がごみを収集しています。そのうち、清掃事務所の職員が収集作業しているのは約50台で、残りは民間の清掃業者によって行われています。

私たちが、まちなかでよく見かけるごみ収集車は、つみこんだごみを圧縮するため、プレス車ともいいます。そのほかに、粗大ごみや資源を回収するトラックも使用しています。

⭐6 1日のごみ収集の流れ

朝、清掃事務所からごみ収集車が出発します。ごみ収集車には、運転手とごみ収集職員2名が乗ります。担当地域のごみ集積所を回ってごみを収集したら、足立清掃工場へ運びます。距離によっては、隣の区の清掃工場へ運ぶこともあります。

このサイクルを1台につき、1日6～7回くり返します。

1日の収集が終わったら、清掃事務所に戻って業務日誌を書き、翌日の準備や確認をして終わります。

なお、ごみの収集は、月曜日から土曜日まであり祝日も行っています。清掃職員は、週に2日の休務日があるため、シフトを組んで収集しています。

● 1日の流れ

7：40　始業

↓

7：50　ミーティング
今日の収集ルートを確認など

↓

8：15　ごみ収集車に乗り込み、収集現場に出発
ごみ収集車のごみがいっぱいになったら、足立清掃工場へ搬入。これを午前4回、午後2～3回くり返す

運転手1名と収集職員2名が1組となって収集します。緑のコンテナは、足立区が無償提供している「とりコン」です。

15：00　清掃事務所に戻る
・業務日誌を書く ・ミーティングを行う ・ごみ収集車を洗車する

ごみの分別についてくわしく知ろう

ごみをきちんと分けて出すことは、限られた資源を活用するためだけでなく、ごみを収集するときや処理施設で、爆発や火災が起こらないようにするためでもあります。

●ごみの分別例

●燃やすごみ

生ごみ	資源にならない紙	衣類・布
※水をよく切って出してください。	ティッシュペーパー、写真、タバコの吸殻	

少量の枝・葉	プラスチック	
※枝は短く（30cm程度）切ってひもで束ねてください。	ビニール、プラスチック、発泡スチロール	※区内一部地域にてプラスチック分別回収（モデル事業）を実施しています。

紙おむつ	食用油	ゴム・皮革類
※汚物は取り除いてください。	※紙か布にしみこませるか、凝固剤で固めてください。	

●資源

古紙	ペットボトル
（新聞・雑誌類・雑がみ・段ボール・紙パック）	このマークがついているペットボトルが対象です。
びん・缶	

⑧ ごみが原因の事故

ごみの収集時に、ごみ収集車から出火して、作業員がケガをしたり、車が燃えてしまう事故が起きています。火災の原因の多くは、燃えるごみに入れられたモバイルバッテリーです。プレス車の圧力や衝撃でモバイルバッテリーが発火するため

⑦ 足立区のごみの分別

足立区では、燃やすごみ、燃やさないごみ、プラスチック、資源、粗大ごみに分けて収集しています。それぞれ、ごみを出すときのルールも決められています。

●燃やさないごみ

ガラス・コップ・陶磁器類	金属類
小型電化製品	その他
ドライヤー、コーヒーメーカー、ポット、トースター、炊飯器、アイロン、ジューサー、ミキサー、電話機など	※ライターは中身を使い切ってから出してください。※電池の出し方 乾電池・コイン電池→燃やさないごみ 充電式電池・リチウムイオン電池・ボタン電池は販売店やメーカーなどで回収

●粗大ごみ

家庭で不用になった大型のごみ。回収を事業者に委託しています。住民には粗大ごみ受付センターに事前に申し込みしてもらいます。

です。また、燃えるごみのなかに、食用油や液体が入っていて、ごみ袋が破れて周辺に飛び散ってしまう事故もあります。

安全なごみ収集を行うために、ホームページやチラシで、住民にごみの分別をお願いする活動も、清掃事務所の大切な仕事です。

コラム ごみの分別による節約

足立区内で出される燃やすごみのなかには、資源になるものが、まだ多く含まれていることがわかりました。これらをきちんと分別していれば、年間約5億円も節約できる計算です。

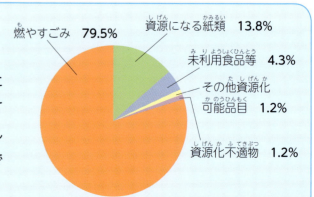

燃やすごみ 79.5%
資源になる紙類 13.8%
未利用食品等 4.3%
その他資源化可能品目 1.2%
資源化不適物 1.2%

はたらく人へインタビュー
ごみ収集・回収にかかわる仕事

清掃事務所の鈴木正さん

Q1 どんな業務をしていますか？

A ごみ収集・回収の計画を立てる

私は、昔はごみの収集・回収を行っていましたが、今は、ごみ収集・回収の計画を立てる仕事をしています。具体的には、1日に足立区から出されるごみの量をもとに、その日のうちに収集・回収するには、ごみ収集車が何台必要か、どういう道順にすれば良いかなどを考えて、年間の作業計画を立てるというものです。

また、住民からのごみにかんする相談に対応したり、住民にごみについて知ってもらう説明会を開いたり、子ども向けの環境学習を開催して、「地球にやさしい」足立区をめざした取り組みを行っています。

Q2 仕事のやりがいを感じるときは、どのようなときですか？

A きれいなまちになったとき

自分で考えた計画どおりに、ごみや資源がすべて収集・回収され、きれいになったまちを見たときは、この仕事のやりがいを実感します。また、住民から、「ごみの収集・回収がうまくいくよう協力したい」といってもらえたときは、とてもうれしくなります。

Q3 印象に残っていることはありますか？

A コロナ禍でのごみ収集・回収

私たちの使命は、その日のうちに、すべてのごみを集めて、まちにごみを残さないことです。しかし、新型コロナウイルス感染症が広がったときは、多くの人が自宅にいたため、ごみが大量に出ました。そのごみを全量残さずに収集するため、ごみ収集車の台数など収集スケジュールに苦労しました。また、職場での感染拡大を防ぐ対策を行いながら、担当者も事務所内はもちろん現場での感染に注意しながら収集を行いました。

☆ 心がけていること

原則を守りながら柔軟に対応

住民からの相談に対しては、特定の人だけを特別扱いしないという原則は守りつつ、柔軟な対応は必要だと思っています。解決策はいろいろあるので、職員で解決策を考え、相談者だけでなく、周りの人にとってもよい解決策を選択するよう心がけています。

さくいん

あ行

足立区基本計画‥‥‥‥‥‥‥‥‥ 10

足立区総合交通計画‥‥‥‥‥‥‥ 10

維持管理‥‥‥‥‥‥‥‥ 22, 26, 27

営繕部‥‥‥‥‥‥‥‥‥‥‥‥ 28

延焼遮断帯‥‥‥‥‥‥‥‥‥‥ 21

か行

火災‥‥‥‥‥‥‥‥‥ 36, 37, 38

火災せん風‥‥‥‥‥‥‥‥‥‥ 38

仮設道路‥‥‥‥‥‥‥‥‥‥‥ 8

換気設備‥‥‥‥‥‥‥‥‥‥‥ 30

関東大震災‥‥‥‥‥‥‥‥‥‥ 38

機械設備‥‥‥‥‥‥‥‥‥ 30, 31

起震車‥‥‥‥‥‥‥‥‥‥‥‥ 33

給水設備‥‥‥‥‥‥‥‥‥‥‥ 30

空調設備‥‥‥‥‥‥‥‥‥ 30, 31

けむり体験‥‥‥‥‥‥‥‥‥‥ 33

建築基準法‥‥‥‥‥‥‥‥‥‥ 21

公園‥‥‥‥‥‥‥‥ 22, 23, 25, 27

公共交通‥‥‥‥‥‥‥‥‥ 10, 16

工事監理‥‥‥‥‥‥‥‥‥‥‥ 29

工事管理‥‥‥‥‥‥‥‥‥‥‥ 29

さ行

交通安全‥‥‥‥‥‥‥‥ 10, 11, 12

交通安全教室‥‥‥‥‥‥‥‥ 11, 12

交通量調査‥‥‥‥‥‥‥‥‥ 9, 18

ごみ‥‥‥‥‥‥‥ 42, 43, 44, 45

ごみ収集車‥‥‥‥‥‥ 43, 44, 45

コミュニティバス‥‥‥‥‥‥ 10, 16

災害備蓄品‥‥‥‥‥‥‥‥‥‥ 32

資源‥‥‥‥‥‥‥‥‥‥‥‥‥ 42

地震体験‥‥‥‥‥‥‥‥‥‥‥ 33

自転車ナビマーク‥‥‥‥‥‥‥ 13

自転車用ヘルメット‥‥‥‥‥ 12, 13

自転車ラック‥‥‥‥‥‥‥‥‥ 14

自転車レーン‥‥‥‥‥‥‥‥‥ 13

児童遊園‥‥‥‥‥‥‥‥‥‥‥ 25

集積所‥‥‥‥‥‥‥‥‥‥‥‥ 42

消火訓練‥‥‥‥‥‥‥‥‥‥‥ 33

昇降機設備‥‥‥‥‥‥‥‥‥‥ 30

助成金‥‥‥‥‥‥‥‥‥ 36, 37, 39

浸水想定区域‥‥‥‥‥‥‥‥‥ 40

水害‥‥‥‥‥‥‥‥‥‥‥ 35, 40

整備計画‥‥‥‥‥‥‥‥‥‥‥ 22

積算 ………………………………… 9, 29	防災 ………………………………… 36, 37, 38
セットバック ……………………… 38	防災訓練 ………………… 32, 33, 34, 35
説明会 ……………………………… 6, 7, 8	防災センター …………………………… 32

た行

耐震化 ……………………………… 36	防災対策 ………………………………… 39
耐震改修工事 …………………… 37	放置自転車 ……………………… 10, 14, 15
耐震補強 …………………………… 28	補修工事 ……………………………… 22, 23
駐輪場 …………………… 10, 14, 15, 17	

まやらわ行

道路整備 …………………………… 7	まちづくり ………………… 18, 19, 20, 21
都市計画道路 …………………… 6, 7	まちづくり協議会 ……………… 18, 19, 21
都市計画法 ……………………… 21	用地 ……………………………………… 6, 7

なは行

入札 ………………………………… 29	用地測量 ………………………………… 7
排水設備 …………………………… 30	リサイクル …………………………… 42
ハザードマップ ……………… 40, 41	ローリングストック ………………… 32
非常用持ち出し袋 ……………… 34	
備蓄 ……………………… 32, 33, 34	
避難所 …………………… 32, 33, 34	
プチテラス ………………………… 25	
不燃化特区 ………………………… 37	
分別 ………………………………… 44	
防火帯 ……………………………… 38	

協力 足立区役所（あだちくやくしょ）

● **編** お仕事研究会
● **編集** ニシ工芸株式会社（余田雅美、佐々木裕、髙塚小春）
● **装丁・デザイン** ニシ工芸株式会社（安部恭余）
● **企画** 岩崎書店編集部
● **イラスト** 福本えみ、PIXTA、Shutterstock
● **写真協力** 足立区報道広報課

＊この本に掲載されている情報は、特に記載のない場合、2024年3月現在のものです。

まちをつくる　くらしをまもる　**公務員の仕事**　3. まちづくりの仕事

2025年1月31日　第1刷発行

編　　お仕事研究会
発行者　小松崎敬子
発行所　株式会社岩崎書店
　　　　〒112-0014　東京都文京区関口2-3-3 7F
　　　　電話（03）6626-5080（営業）／（03）6626-5082（編集）
　　　　ホームページ https://www.iwasakishoten.co.jp
印刷　　株式会社光陽メディア
製本　　大村製本株式会社

ISBN 978-4-265-09221-5　48頁　29×22cm　NDC318
©2025 Oshigoto Kenkyukai
Published by IWASAKI Publishing Co., Ltd.　Printed in Japan
ご意見・ご感想をお寄せ下さい。e-mail:info@iwasakishoten.co.jp
落丁本・乱丁本は小社負担でおとりかえいたします。

本書のコピー、スキャン、デジタル化等の無断複製は著作権法上での例外を除き禁じられています。本書を代行業者等の第三者に依頼してスキャンやデジタル化することは、たとえ個人や家庭内の利用であっても一切認められていません。朗読や読み聞かせ動画の無断での配信も著作権法で禁じられています。

\\まちをつくる くらしをまもる/

公務員の仕事

全5巻

1. くらしの窓口
協力：足立区役所　編：お仕事研究会

2. 福祉・健康関連の仕事
協力：足立区役所　編：お仕事研究会

3. まちづくりの仕事
協力：足立区役所　編：お仕事研究会

4. 教育・子ども関連の仕事
協力：足立区役所　編：お仕事研究会

5. くらしをまもる仕事
協力：足立消防署　編：お仕事研究会

岩崎書店